La tour Eiffel
se balade à Paris!

Des romans à lire à deux,
pour les premiers pas en lecture !

La collection Premières Lectures accompagne les enfants qui apprennent à lire. Chaque roman peut être lu à deux voix : l'enfant lit les bulles et un lecteur confirmé lit le reste de l'histoire.

Cette collection a trois niveaux :

JE DÉCHIFFRE les bulles peuvent être lues par l'enfant qui débute en lecture.

JE COMMENCE À LIRE les bulles peuvent être lues par l'enfant qui sait lire les mots simples.

JE LIS COMME UN GRAND les bulles peuvent être lues par l'enfant qui sait lire tous les mots.

Quand l'enfant sait lire seul, il peut lire les romans en entier, comme un grand !

Un concept original **+** des histoires simples **+** des sujets qui passionnent les enfants **+** des illustrations : **des romans parfaits pour débuter en lecture avec plaisir !**

Cette histoire a été testée par Francine Euli, enseignante, et des enfants de CP.

L'orthographe rectifiée, qui fait désormais référence dans les programmes scolaires, est appliquée dans cet ouvrage.

©2016 Éditions NATHAN, SEJER, 25 avenue Pierre-de-Coubertin, 75013 Paris
Loi n° 49-956 du 16 juillet 1949 sur les publications destinées à la jeunesse, modifiée par la loi n° 2011-525 du 17 mai 2011.
ISBN : 978-2-09-256157-7

La tour Eiffel se balade à Paris!

TEXTE DE MYMI DOINET
ILLUSTRÉ PAR MÉLANIE ROUBINEAU

Tôt ce matin, la tour Eiffel reçoit
la visite de deux enfants.
Que cherchent-ils à
tous les étages ?

Je peux
vous aider,
les amis?

Léa et Nino participent à une grande chasse au trésor. Ils croyaient trouver le trophée en haut du célèbre monument, mais, raté!

Pourtant, quelle chance
pour Léa et Nino! Bien décidée
à leur être utile, la tour Eiffel
les invite à rester sur son dos:

C'est parti !

La tour double les motos, les bus,

et les camions de pompiers aussi.

La tour Eiffel rit : ça l'amuse beaucoup,
cette course au trésor dans Paris !
Elle cavale jusqu'à la pyramide du Louvre.
Celle-ci se réveille à peine de sa nuit.

J'ai rêvé
des pharaons !

Léa et Nino cherchent autour
du monument de verre. Zut! Ici, aucun
trophée, juste un grand défilé de mode.
Un pigeon roucoule:

Votre trésor
est peut-être
caché dans un
pot de fleurs!

Bien décidée à trouver le pot,
la tour décolle telle une fusée.
Elle vole au-dessus de Notre-Dame
et lui demande conseil. La cathédrale
réfléchit :

Arrête-toi au marché
aux fleurs, à côté !

Ici, il y a bien des dizaines de pots remplis de roses et de tulipes. Mais rien de précieux au fond ! Un nain de jardin chuchote dans sa barbichette :

À mon avis, le trésor est sous un livre !

La tour et la petite bande filent
sur les quais, chez les bouquinistes.
Leurs boites débordent de romans.
Mais aucun trophée n'y est caché.

Non! Le nain n'en sait pas plus.
Une mouette ajoute alors
son grain de sel :

Avez-vous cherché sur la Seine ?

Toujours prête à rendre service,
la tour Eiffel se change en toboggan.
Plof! Léa, Nino, le pigeon, le nain
de jardin et la mouette sautent
sur un bateau-mouche.

BATEAUX-MOUCHES

Or, pas de trésor à bord!

Juste une classe qui piquenique.

Soudain, une abeille bourdonne

sous le nez de Nino:

Bzzz! Avez-vous
zzz'enquêté
dans les rues
voisines?

Alors, zou !

Tous suivent l'abeille jusqu'au

Centre Pompidou, pas loin de là.

En bas du musée coule une fontaine

avec un oiseau de feu multicolore.

À côté, une énorme bouche rigole :

Saperlipopluie! Les voilà éclaboussés…
et toujours sans le trésor.

La tour passe ensuite devant les grands magasins. Mais Léa et Nino n'admirent pas les vitrines. Ils boudent : voici le diner, et rien de récolté ! Infatigable, la géante d'acier se trémousse : et si le trophée se trouvait dans le zoo ?

Là-bas, les girafes semblent rikiki près de la tour, et hélas! elles ne connaissent pas la cachette du mystérieux objet. Les éléphants et les gazelles n'ont pas plus la solution.

Tout à coup, un singe déboule
sur le grand rocher et s'écrie :

Parole
de ouistiti,
il a dû être mis
devant l'Opéra
de Paris !

Sous le soleil couchant, chacun suit
le jeune singe. Mais devant l'Opéra
qui bâille déjà, il y a juste trois petits
rats laçant leurs chaussons.

La tour Eiffel reprend sa course,
double un hélicoptère et rejoint
la tour Montparnasse. Son amie
a surement des infos. Taratata !
Elle ne veut rien entendre.

Chut !
Je dors !

Bientôt minuit sous les étoiles.
Les derniers voyageurs somnolent
dans le métro aérien.
Léa et Nino, eux, grelotent
et désespèrent.

Pas possible
de voir le trésor
dans la nuit noire!

Joueuse à l'infini, la tour les rassure :

Il faut toujours garder espoir !

Elle remonte l'avenue des Champs-Élysées et interroge l'Arc de triomphe.
Pfff! Il ronfle. Mais face à la place de l'Étoile, trois chats de gouttière miaulent.

La tour, Léa, Nino, le pigeon,
le nain de jardin, la mouette,
l'abeille et le singe suivent les matous
jusqu'au Champ-de-Mars...

La tour y reprend sa place et sourit:
on cherche parfois bien loin ce qui
est tout à côté! Car à ses pieds,
un paquet attend.

Oh ! C'est une boite à musique avec une minitour Eiffel dorée, qui chante aussitôt en duo avec la géante :

La balade
est finie, filez
dans votre lit, pendant
que nous, promis,
on ira faire du ski !

Paris compte...

20 arrondissements

Assemblés en spirale, ses quartiers forment comme une gigantesque coquille d'escargot.

37 ponts

Ils enjambent la Seine, grand fleuve qui traverse Paris sur un parcours de 13 kilomètres.

6 000 rues

En les parcourant toutes, on pourrait marcher sur 2 400 kilomètres de trottoirs. La plus longue, la rue de Vaugirard, mesure à elle seule 4 360 mètres.

Plus de 400 parcs et jardins

L'un des plus connus est le jardin du Luxembourg, avec son théâtre de marionnettes et son bassin sur lequel on peut faire voguer des petits bateaux.

100 000 arbres

Ils sont le refuge de plus de 80 000 pigeons.
Y nichent aussi des moineaux, des merles,
des pies et des corneilles.

14 lignes de métro

Pour se déplacer loin des embouteillages,
ces lignes sont bien pratiques. Toutes
réunies, elles comptent 303 stations
et sillonnent 205 kilomètres.

82 marchés

Ces lieux en plein air sont idéals pour
acheter les meilleurs fruits, légumes et poissons,
ainsi que des fromages de toutes sortes et des
bouquets multicolores.

173 musées

On y découvre des vrais Picasso, des tapisseries
géantes, des momies aussi. Au musée
du Louvre, on peut même
admirer *La Joconde*, le tableau
le plus célèbre au monde.

Bravo ! Tu as lu un livre en entier !
Tu as aimé cette histoire ?
Retrouve la tour Eiffel dans d'autres aventures !

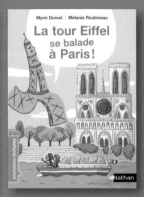

premières lectures

N° éditeur : 10243895 – Dépôt légal : janvier 2016
Achevé d'imprimer en février 2018 par Pollina - 83985
(85400 Luçon, Vendée, France)

MIXTE
Papier issu de
sources responsables
FSC® C022030